JE DÉCOUVRE . . .
LE MONDE MERVEILLEUX
DES ANIMAUX

LE PÉLICAN

Candace Savage

Grolier Limitée
MONTRÉAL

CHEF DE LA PUBLICATION		Joseph R. DeVarennes
DIRECTEUR DE LA PUBLICATION		Kenneth H. Pearson
CONSEILLERS	Roger Aubin Gilles Bertrand	Jean-Pierre Durocher Gaston Lavoie
RÉDACTRICES EN CHEF		Anne Minguet-Patocka Valerie Wyatt
CONSEILLERS POUR LA SÉRIE		Michael Singleton Merebeth Switzer
RÉDACTION	Sophie Arthaud Charles Asselin Marie-Renée Cornu Michel Edery	Catherine Gautry Ysolde Nott Geoffroy Menet Mo Meziti
SERVICE ADMINISTRATIF	Kathy Kishimoto Monique Lemonnier	Alia Smyth William Waddell
COORDINATRICE DU SERVICE DE RÉDACTION		Jocelyn Smyth
CHEF DE LA PRODUCTION		Ernest Homewood
RECHERCHE PHOTOGRAPHIQUE		Don Markle Bill Ivy
ARTISTES	Marianne Collins Pat Ivy	Greg Ruhl Mary Théberge

Ouvrage pour la jeunesse recommandé par le Cercle des Jeunes Naturalistes du Québec.

Données de catalogage avant publication (Canada)

Switzer, Merebeth.
  Les serpents / Merebeth Switzer, Katherine Grier. Le pelican / Candace Savage.—

(Je découvre—le monde merveilleux des animaux)
Traduction de: Snakes. Pelicans.
Comprend des index.
ISBN 0-7172-1978-X (serpents). — ISBN 0-7172-1979-X (pelicans).

1. Serpents—Ouvrages pour la jeunesse. 2. Pélicans—Ouvrages pour la jeunesse. I. Grier, Katherine.
II. Savage, Candace, 1949- Le pelican. III. Titre. IV. Titre: Le pelican. V. Collection.

QL666.06S9714 1986   j597.06   C85-090813-2

Dépôt légal, 1er trimestre 1986
Bibliothèque nationale du Québec

Savez-vous . . .

Avant d'entreprendre la lecture de ce livre sur les pélicans, prenez une feuille de papier ainsi qu'un crayon ou un stylo. Puis, dessinez l'oiseau le plus bizarre que vous puissiez imaginer. N'oubliez pas qu'il lui faut une tête, deux yeux et un bec, un corps, deux ailes et deux pattes. Faites-lui aussi des plumes, sinon ce ne serait pas un vrai oiseau.

Une fois le dessin terminé, comparez votre oiseau avec les photos qui illustrent ce livre. Lequel des deux est le plus curieux?

Avant de répondre, rappelez-vous que les pélicans existent vraiment. Cela ne les rend que plus étranges, n'est-ce pas?

Pélican brun.

Une bande de pélicans

Dès qu'il est en mesure de quitter son nid, le jeune pélican se met à la recherche d'autres pélicans de son âge. Au début, les jeunes pélicans ne se retrouvent que pendant la journée, chacun rentrant au nid le soir car l'un de ses parents reviendra pour lui tenir chaud.

Souvent, les petits pélicans imitent un de leurs congénères, comme le font les moutons. Ainsi, si l'un d'eux se déplace pour se mettre à l'ombre, des dizaines d'autres le suivent. Si un autre s'approche du bord de l'eau, une centaine d'autres se précipitent derrière lui.

S'ils sont effarouchés par un bateau, un avion volant à basse altitude ou un passant, ils se regroupent précipitamment. Il leur arrive même de passer les uns par-dessus les autres car ils veulent tous se réfugier au centre de la bande.

Petit pélican brun âgé de trois semaines.

Des pélicans ici et là

À l'heure actuelle, il existe dans le monde six espèces différentes de pélicans, une au moins par continent. Tous les pélicans sont des oiseaux aquatiques que l'on rencontre généralement près des rivières, des lacs et des océans.

En Amérique du Nord, il y a deux espèces de pélicans: le pélican brun et le pélican blanc. Le premier vit le long du littoral du sud-est et de l'ouest américain, le deuxième nidifie surtout sur les lacs de l'ouest du Canada et des États-Unis.

Le pélican replie son énorme poche sous son bec lorsqu'il ne s'en sert pas.

Des bruns et des blancs

On devine facilement d'où les pélicans d'Amérique du Nord tirent leur nom. Le pélican brun est, comme on s'en serait douté, entièrement brun, sauf le dessous des ailes qui porte des lignes gris-argent et des taches blanches. Le pélican blanc est tout blanc, hormis l'extrémité des ailes qui est noirâtre.

Ces deux oiseaux sont faciles à reconnaître, aussi bien sur l'eau qu'en vol. Dans les airs, ils volent la tête renversée en arrière, la poche de la mandibule inférieure légèrement appuyée sur la poitrine. Quand ils nagent, ils s'enfoncent très peu dans l'eau en raison de l'air qui est emprisonné dans leurs plumes et des sacs aériens qu'ils possèdent sous la peau.

Pour que ses plumes soient imperméables, le pélican les enduit d'une huile que sécrète une glande située près de sa queue.

Deux résidences

Les pélicans qui font leurs nids dans les régions nordiques, là où les hivers sont rigoureux, ont en général deux logis. À l'automne, lorsque les vents froids se mettent à souffler et que le thermomètre tombe à presque 0°C, les pélicans quittent les aires de ponte et s'envolent vers le sud, en quête d'un climat plus hospitalier.

Quelquefois des centaines de kilomètres séparent l'endroit où les pélicans nichent en été de celui où ils trouveront de la nourriture en hiver. Le voyage, qu'on appelle migration, est donc long. Heureusement, les pélicans sont faits pour effectuer de longs vols.

Grâce à ses ailes puissantes, le pélican peut atteindre une vitesse en vol de 40 kilomètres à l'heure.

Un oiseau de poids

Le pélican est un très gros oiseau, l'un des plus grands d'Amérique du Nord d'ailleurs.

Un pélican blanc adulte peut peser 10 kilogrammes et plus, soit le poids d'une grosse oie. Le pélican brun est un peu plus petit.

Étant donné leur taille, les pélicans doivent souvent faire de gros efforts pour prendre leur envol. Comme un avion, ils décollent toujours dans le vent. S'il n'y a pas de vent, ils courent sur l'eau en battant des ailes et en pédalant pour prendre de la vitesse. Quand ils atteignent une vitesse suffisante, ils s'élèvent dans les airs.

On ne peut pas dire que les pélicans fassent des amerrissages gracieux. Ils arrivent la plupart du temps sur l'eau dans un grand éclaboussement, pattes et pieds tendus devant eux pour freiner.

Décollage.

Des ailes puissantes

Les pélicans ont des ailes longues et larges. Quelle est leur envergure, c'est-à-dire l'étendue de leurs ailes déployées? Prenez une règle et mesurez deux mètres et demi par terre. Vous avez là l'envergure moyenne des ailes du pélican, certains individus dépassant les 2,5 mètres.

Les pélicans volent avec élégance et puissance, grâce à leurs fortes ailes. Quelquefois ils battent des ailes, d'autres fois ils se laissent porter par les courants d'air chaud ascendants. Quand ils planent, on a l'impression que leur corps, pourtant si lourd, glisse dans le ciel comme par magie. Ils peuvent se laisser emporter à une telle altitude par les courants que, du sol, ils ressemblent à de petites taches contre le ciel.

Les pélicans bruns effectuent de longues migrations pour trouver de la nourriture.

Une volée de pélicans

Généralement, les pélicans volent
en bande. En fait, ce sont des
oiseaux très sociables qui font
presque tout en groupe ou en volée.

Ils volent souvent à la queue-leu-
leu mais il leur arrive aussi de
former un «V» très ouvert. Les
battements de leurs ailes sont
lents et majestueux: flap, flap, flap,
et vol p-l-a-n-é. Chaque oiseau règle
ses mouvements sur celui qui le
précède; les pélicans battent donc
des ailes soit en même temps, soit
l'un après l'autre. Souvent, les
battements semblent se propager
comme une onde.

Des plongeurs émérites

Les pélicans bruns restent en altitude même pour pêcher. Cette façon de procéder n'est pas aussi bizarre qu'elle le paraît au premier abord. En fait, ils plongent la tête la première et capturent dans leur bec les poissons qui nagent à fleur d'eau. Généralement, ils effectuent leur plongeon, qu'ils ont prévu avec méticulosité, d'une hauteur d'environ 7 mètres pour arriver exactement à l'endroit où se trouve le poisson.

Pour les pélicans, il n'est pas dangereux de s'écraser dans l'eau: l'air qui est emprisonné dans leurs plumes et dans des poches sous-cutanées (sous la peau) amortit le choc.

Les pélicans bruns attrapent les poissons qui vivent en bancs, comme les poissons d'argent.

Façon dont plonge le pélican brun pour attraper un poisson.

Le pélican brun compte sur sa vue perçante pour repérer les poissons qui nagent sous la surface de l'eau.

Des pêcheurs rusés

Les pélicans blancs se nourrissent aussi de poissons, mais ils n'exécutent pas de plongeons spectaculaires comme les pélicans bruns. Tout en nageant, ils plongent le bec (et parfois même la tête entière) dans l'eau et saisissent le poisson au passage. Ils mangent tout ce qui est facile à attraper: vairons, perches, carpes, et même parfois des grenouilles et des salamandres.

En eau profonde, les pélicans blancs pêchent généralement seuls. En eau moins profonde, en revanche, ils pêchent souvent en groupes.

Voilà comment ils procèdent. Un certain nombre de pélicans nagent tranquillement comme si de rien n'était. Mais dès qu'ils repèrent un banc de poissons, ils l'encerclent. Ils resserent ensuite progressivement l'étau de façon à regrouper les poissons au centre. Une fois l'opération terminée, les pélicans se mettent à manger goulûment, en donnant de grands coups de bec et en tapant l'eau avec leurs pieds. Chaque pélican fait ainsi un repas plus copieux que s'il pêchait seul.

Page ci-contre:

Un pélican blanc en train de pêcher.

Un filet de pêche pratique

Le pélican dispose d'un outil très pratique pour pêcher. Savez-vous lequel?

Si vous dites son bec à poche, vous avez bien deviné. C'est ce qui lui sert de filet. Le pélican enfonce le bec dans l'eau et remplit la poche d'eau. Si la chance lui sourit, un poisson aura aussi pénétré dans la poche. Le pélican rejette alors l'eau et avale le poisson tout entier.

La poche du pélican est si élastique qu'elle peut contenir plus de 10 litres d'eau et des poissons. Qu'est-ce que cela représente? Pour en avoir une idée, bouchez l'évier de la cuisine et prenez un emballage de lait d'un litre vide. Remplissez-le d'eau et videz le contenu dans l'évier. Recommencez dix fois. Vous saurez alors combien d'eau la poche du pélican peut contenir.

En dépit de ce que vous avez pu entendre dire, le pélican ne peut emmagasiner dans son bec plus de poissons que son ventre peut en contenir.

Un gros mangeur

Dans les dessins animés, on représente souvent les pélicans tenant quelque chose dans leur bec pendant qu'ils volent ou qu'ils marchent. En vérité, ils ne peuvent rien transporter dans leur bec.

Si vous mettez un objet dans la poche d'un vêtement, il y restera car la poche a un fond. La poche du pélican en revanche, n'est qu'un conduit élastique dont le contenu se déverse dans le gosier de l'oiseau. Dès que le pélican relève la tête, le poisson qui se trouve dans la poche glisse le long du gosier et tombe dans l'estomac.

Le gosier et l'estomac du pélican se dilatent aussi. Lorsque la pêche est fructueuse, le pélican se gave. Souvent, il arrive au pélican de manger plusieurs centaines de vairons, ce qui représente en poids environ 3,5 kilogrammes. Quelquefois, il emmagasine tellement de nourriture qu'il ne peut pas prendre son envol. Il est alors obligé de rendre une partie des aliments pour être en mesure de décoller.

Des poches réfrigérées

Le pélican ne se sert pas de sa poche uniquement comme d'un filet de pêche. Elle lui permet aussi de se rafraîchir. Mais comment?

Avez-vous déjà vu un chien lorsqu'il fait très chaud? Que fait-il de sa langue? Il la sort et respire rapidement. On dit qu'il halète. L'air passe sur sa langue humide, ce qui le rafraîchit. Essayez de faire la même chose. N'avez-vous pas l'impression que votre langue est plus fraîche?

Lorsqu'un pélican a chaud, il fait bouger sa poche, dont la peau est humide, pour faire circuler l'air. À votre avis, quel effet cela lui fait?

On se rafraîchit.

En langage de pélican

Croyez-le ou non, les pélicans
se servent aussi de leur poche pour
«se parler».

Lorsque deux pélicans blancs se
rencontrent, ils gonflent quelquefois
leur poche, relèvent leur bec à la
verticale et inclinent lentement la
tête d'un côté puis de l'autre.
C'est ainsi que les pélicans se
disent bonjour.

Des amis aux pieds palmés

Si vous passiez autant de temps dans l'eau que
le pélican, vous porteriez sans doute des palmes
de façon à vous déplacer avec plus d'aisance.
Un pélican, en revanche, n'a pas besoin d'un
tel équipement puisque la nature lui a donné
des pieds palmés.

Malheureusement, avoir des pieds palmés
n'est pas toujours très pratique. Sur le sol, on
s'en passe volontiers. Vous l'avez d'ailleurs
sûrement remarqué si vous avez déjà essayé
de marcher avec des palmes. Sur la terre ferme,
le pélican se dandine et a une démarche
pataude.

Patte de pélican.

La saison des amours

Les pélicans bruns s'accouplent à différents moments de l'année selon la région où ils vivent, tandis que les pélicans blancs le font à la fin du printemps. Mais avant de pouvoir s'accoupler, le pélican mâle doit choisir une partenaire.

Pour attirer une femelle, le pélican exécute une danse, appelée parade nuptiale. Celle-ci ne rappelle en rien nos danses. Quelquefois, le mâle tape sur le sol du plat des pieds et décrit un cercle autour de la femelle. D'autres fois, il se pavane puis fait la révérence comme pour dire: «N'est-ce pas que je suis beau?»

Comme beaucoup d'autres oiseaux, le pélican se pare de très belles couleurs pour attirer une compagne. Mais chez lui ce ne sont pas les plumes mais la poche qui prend toutes ces belles couleurs vives. Pendant presque toute l'année, la poche du pélican blanc est jaune orangé mais, au printemps, elle devient orange vif. Une excroissance, ou corne, pousse simultanément sur le bec. Chez certains pélicans apparaissent aussi des plumes jaune clair sur la poitrine et une crête de la même couleur sur la tête.

C'est la saison des amours chez les pélicans blancs. Ces excroissances d'aspect étrange qu'ils portent sur le bec l'indiquent clairement.

Il y a foule!

Les pélicans blancs construisent toujours leurs nids sur une île, généralement située au beau milieu d'un lac. Leurs œufs se trouvent ainsi hors d'atteinte des prédateurs affamés, et loin des hommes. Les pélicans bruns ne font pas leurs nids exclusivement sur une île, ils élisent domicile ailleurs, s'ils estiment que ceux-ci sont sûrs. S'il vous arrive de passer près d'un nid de pélicans, ne vous en approchez pas car si vous dérangiez les parents, ils pourraient abandonner le nid. Le plus souvent dans ces cas-là, les petits pélicans meurent.

Les pélicans ne vivent pas seuls dans un nid; au contraire, ils se regroupent par centaines, en colonies. Une colonie de pélicans est sale et bruyante. Le sol y est jonché de déjections et de poissons en décomposition; vous pouvez facilement imaginer l'odeur nauséabonde qui s'en dégage.

Une colonie de pélicans peut regrouper jusqu'à 1000 couples.

Des nids rudimentaires

Un pélican blanc fabrique son nid en un rien de temps. Il se pose tout simplement sur le sol et se met à tourner en rond tout en traînant le bec par terre. Il creuse ainsi le sol, arrachant au passage des brindilles et déplaçant des cailloux. Ceci donne un beau nid en forme de soucoupe.

Un pélican brun se donne un peu plus de peine pour construire son nid. Avec les brindilles qu'il a ramassées, le couple fabrique un nid plat au centre duquel il laisse un trou pour les œufs.

Dès que le nid est prêt, la femelle y pond deux ou trois œufs. Pendant un mois, les parents se relaient pour les couver. Comme les autres oiseaux, les pélicans doivent garder leurs œufs au chaud de façon que les oisillons se développent.

C'est à mon tour de couver cet après-midi.

Est-ce un oiseau?

Quand le bébé pélican sort de l'œuf, il ressemble plus à un reptile qu'à un oiseau. Il a la peau rose et dénudée, et il est tellement petit et faible qu'il peut à peine soulever la tête. Au moment du repas, les parents font tomber goutte à goutte de la nourriture du bout de leur énorme bec dans la minuscule bouche de l'oisillon.

Mais revenez un mois plus tard et vous assisterez à une scène tout à fait différente. Le jeune pélican a beaucoup grandi et il est couvert d'un épais duvet blanc. Il marche. Euh…Enfin, il avance d'une manière mal assurée, trébuchant pour un oui ou pour un non et tombant plus souvent qu'à son tour.

Un petit pour lequel seule une mère peut éprouver de l'amour!

Une horde affamée

Les jeunes pélicans quittent le nid et se joignent à une autre bande de jeunes pélicans avant même de pouvoir voler et se nourrir tout seuls. Mais leur père et leur mère ne les oublient pas: ils passent les nourrir plusieurs fois par jour.

Quand un adulte arrive, les jeunes font ceux qui meurent littéralement de faim. Ils picorent les pieds de l'adulte, ils cherchent son bec et lui grimpent même sur le dos. Il en est toujours un ou deux qui semblent devenir fous: ils se jettent par terre, battent furieusement des ailes et bougent leur tête dans tous les sens. Il leur arrive de tourbillonner en grognant et de donner des coups de bec à leurs ailes. C'est leur façon à eux de dire: « J'ai faim! Je veux manger! »

Au dîner, cela vous tenterait-il d'aller puiser du poisson à moitié digéré dans le fond de la gorge de vos parents? C'est peu probable. Les jeunes pélicans, en revanche, aiment se nourrir ainsi. En fait, il arrive même qu'ils refusent de retirer la tête du gosier de leur père ou de leur mère au moment du départ. L'adulte doit alors se secouer énergiquement pour se libérer.

Page ci-contre:

Chez les pélicans, les parents ne nourrissent que leurs petits. On ne sait d'ailleurs toujours pas comment ils les reconnaissent. Les petits savent aussi qui sont leurs parents.

Le premier vol

Lorsqu'ils ont trois mois, les jeunes pélicans se sentent prêts à voler. Au début, l'envol et l'atterrissage ne se font pas sans difficultés. Ils s'élèvent maladroitement dans les airs et font des plats dans l'eau. Mais l'entraînement aidant, ils font des progrès et volent assez rapidement avec assurance. À l'automne, les jeunes pélicans qui vivent dans les pays froids sont suffisamment robustes pour partir avec les adultes vers le sud.

Ce n'est qu'à un an que les jeunes pélicans possèdent leur plumage d'adulte. Ils ressemblent alors à leurs parents comme deux gouttes d'eau. Pourtant, bien qu'ils aient l'air d'adultes, ils ne sont pas encore prêts à fonder une famille. Pour cela, il faudra qu'ils attendent d'avoir trois ou quatre ans.

Lorsqu'il quittera le nid, ce jeune pélican aura mangé environ 70 kilogrammes de poisson.

Épilogue

À présent, vous savez tout sur les pélicans. Récapitulez les choses étonnantes que vous avez apprises sur ces oiseaux:

- combien d'espèces différentes il y a et quelle taille les oiseaux peuvent atteindre;
- comment certains peuvent plonger et attraper des poissons dans leur poche;
- comment ils utilisent leur poche pour se rafraîchir et se parler;
- comment ils se regroupent en colonies et comment ils grandissent en groupes;
- comment les petits dansent autour de leurs parents et font des simagrées quand ils ont faim;
- comment ils vont chercher la nourriture au fond du gosier de leurs parents;
- combien de temps il leur faut pour devenir adultes.

Plus vous en apprendrez sur les pélicans et plus ils vous deviendront sympathiques.

Glossaire

Colonie   Lieu où des centaines de pélicans pondent leurs œufs et élèvent leurs petits.

Crête   Excroissance charnue sur la tête d'un oiseau.

Déjections   Matière évacuée du corps des oiseaux par les voies naturelles.

Digestion   Transformation des aliments dans l'estomac provoquée par des sucs afin que l'organisme puisse les utiliser.

Duvet   Petites plumes très douces et très légères.

Migration   Déplacement saisonnier qu'effectuent les oiseaux en quête de nourriture ou d'un endroit pour bâtir leur nid et élever les oisillons.

Pieds palmés   Pieds dont les orteils sont réunis par une membrane de peau.

Prédateur   Animal qui se nourrit de proies.

Volée   Groupe d'oiseaux en vol.

INDEX

Couverture: Stephen J. Krasemann (Valan Photos)
Crédit des photographies: J.D. Taylor (Miller Services), page 4; W. Metzen (Miller Services), 7, 44; Camerique (Miller Services), 8; Wayne Lankinen (Valan Photos), 12, 15, 24, 32, 36, 39, 43; Stephen J. Krasemann (Valan Photos), 11, 23, 27, 31; FPG (Miller Services), 16; Dennis Schmidt (Valan Photos), 19; George Peck, 20, 28, 40; Tom W. Hall (Miller Services), 35.

JE DÉCOUVRE . . .
LE MONDE MERVEILLEUX DES ANIMAUX

LES SERPENTS

Merebeth Switzer
and
Katherine Grier

Grolier Limitée
MONTRÉAL

CHEF DE LA PUBLICATION		Joseph R. DeVarennes
DIRECTEUR DE LA PUBLICATION		Kenneth H. Pearson
CONSEILLERS	Roger Aubin	Jean-Pierre Durocher
	Gilles Bertrand	Gaston Lavoie
RÉDACTRICES EN CHEF		Anne Minguet-Patocka
		Valerie Wyatt
CONSEILLERS POUR LA SÉRIE		Michael Singleton
		Merebeth Switzer
RÉDACTION	Sophie Arthaud	Catherine Gautry
	Charles Asselin	Ysolde Nott
	Marie-Renée Cornu	Geoffroy Menet
	Michel Edery	Mo Meziti
SERVICE ADMINISTRATIF	Kathy Kishimoto	Alia Smyth
	Monique Lemonnier	William Waddell
COORDINATRICE DU SERVICE DE RÉDACTION		Jocelyn Smyth
CHEF DE LA PRODUCTION		Ernest Homewood
RECHERCHE PHOTOGRAPHIQUE		Don Markle
		Bill Ivy
ARTISTES	Marianne Collins	Greg Ruhl
	Pat Ivy	Mary Théberge

Ouvrage pour la jeunesse recommandé par le Cercle des Jeunes Naturalistes du Québec.

Données de catalogage avant publication (Canada)

Switzer, Merebeth.
  Les serpents / Merebeth Switzer, Katherine Grier. Le pelican / Candace Savage. —

(Je découvre—le monde merveilleux des animaux)
Traduction de: Snakes. Pelicans.
Comprend des index.
ISBN 0-7172-1978-X (serpents). — ISBN 0-7172-1979-X (pelicans).

1. Serpents—Ouvrages pour la jeunesse. 2. Pélicans—Ouvrages pour la jeunesse. I. Grier, Katherine. II. Savage, Candace, 1949- Le pelican. III. Titre. IV. Titre: Le pelican. V. Collection.

QL666.06S9714 1986   j597.06   C85-090813-2

Dépôt légal, 1er trimestre 1986
Bibliothèque nationale du Québec

Savez-vous . . .

Quels sentiments éprouvez-vous lorsque vous voyez un serpent glisser dans l'herbe ou se prélasser au soleil?

Les serpents suscitent souvent du dégoût ou de la crainte. Ne jouent-ils pas d'ailleurs dans beaucoup de récits le rôle du méchant? Si. Mais d'autres histoires ont également été racontées à leur sujet.

Ainsi, les Grecs avaient remarqué que les serpents se dépouillaient de leur vieille peau pour en revêtir une neuve.

Cette nouvelle peau était pour eux symbole de vie et de santé. Les médecins d'aujourd'hui utilisent encore l'image de deux serpents entrelacés autour d'une baguette comme symbole de leur art. On l'appelle caducée.

Une chose est certaine, les serpents sont des incompris. Qui sont-ils en vérité? Ce n'est qu'en les observant attentivement qu'on peut le découvrir. Vous pouvez le faire tout seuls au début puis vous pencher sur les études qu'ont faites les naturalistes. Celles-ci vous renseigneront en détails sur le comportement de ces animaux et le rôle qu'ils jouent dans la nature.

Une famille d'écailleux

Les serpents sont des reptiles, comme les lézards, les tortues, les alligators et les crocodiles.

Un reptile est couvert d'écailles dures et sèches. Généralement, les petits se développent dans un œuf. Ils possèdent des poumons pour respirer mais, contrairement aux êtres humains, la température de leur corps varie suivant celle du milieu environnant, c'est-à-dire de l'air, du sol et de l'eau.

En d'autres points, les serpents sont différents des autres reptiles. Quels sont leurs caractères propres? L'un d'eux est évident: ils sont dépourvus de pattes. Certains ont encore des petits os et une griffe là où étaient situés chez leurs ancêtres les os de la hanche et des membres.

Pourquoi les serpents n'ont-ils pas de pattes? Les savants pensent que naguère les ancêtres des serpents, qui ressemblaient aux lézards, se mirent un jour à chercher leur nourriture dans le terrier d'autres animaux. Mais leurs pattes les gênaient. Petit à petit, celles-ci s'atrophièrent et leur tâche s'en trouva facilitée.

Page ci-contre:

La couleuvre à ventre rouge s'affaire surtout la nuit.

Des serpents partout

On dénombre quelque 320 espèces de serpents en Amérique du Nord. Tous ont besoin de nourriture, d'eau, de chaleur et d'un abri pour subsister. Ils trouvent ces éléments dans de nombreuses régions. Certains serpents vivent dans les déserts, d'autres dans les forêts, les prairies ou les montagnes. Certains mènent une existence souterraine, d'autres vivent presque tout le temps sur le sol. On trouve des serpents dans le monde entier, sauf dans le Grand Nord où les hivers sont longs et rigoureux. Il n'y en a pas non plus en Islande, en Irlande et en Nouvelle-Zélande.

On voit rarement la couleuvre verte car elle se fond bien dans la verdure environnante.

Long et mince

Il existe des serpents énormes qui peuvent mesurer plusieurs mètres de long. En Amérique du Nord, toutefois, le serpent le plus imposant ne dépasse pas la taille d'un homme, le plus petit n'étant pas plus long qu'un crayon neuf.

Quelle que soit leur taille, tous les serpents ont à peu près la même forme: ils sont longs et minces. Le serpent possède de nombreux organes semblables aux nôtres dont les fonctions sont les mêmes: respirer, pomper et purifier le sang, extraire les éléments nutritifs dans la nourriture ingurgitée et rejeter le reste.

Mais comment ces organes tiennent-ils dans si peu d'espace? Ils sont tout simplement de forme allongée comme le corps du serpent. Et s'il y avait jadis une paire d'organes, à l'heure actuelle l'un s'est atrophié ou a complètement disparu.

Il arrive qu'à la naissance la livrée des serpents soient toute noire et n'arbore pas ses couleurs habituelles. Ce serpent-jarretière est presque méconnaissable sans ses rayures.

Une peau d'écailles

La peau du serpent est constituée d'un grand nombre d'écailles. Les écailles dorsales et latérales sont plus petites que celles de la tête. Les écailles ventrales sont grandes et rectangulaires. On les appelle écussons.

On dirait à première vue que les écailles sont séparées les unes des autres. En fait, elles ne le sont pas. Chaque écaille est reliée à ses voisines par un repli de peau invisible. Lorsque le serpent se tortille ou avale une grosse proie la peau peut ainsi s'étirer. Un serpent a trois couches de peau. La couche la plus profonde comporte les couleurs et les dessins. La couche intermédiaire fabrique sans arrêt la couche superficielle, qui est dure, mince et transparente. Elle est faite de la même substance que nos ongles et protège le serpent contre les rugosités du sol. Cette même peau recouvre aussi les yeux du serpent et les protègent. Mais contrairement à une paupière, elle ne bouge pas. C'est pour cela qu'un serpent a toujours les yeux ouverts, même quand il dort.

Page ci-contre:

Le serpent-jarretière est un serpent diurne car il a des pupilles rondes. Les nocturnes et les crépusculaires ont une pupille en fente verticale comme les chats.

La mue

Votre peau pèle un peu tous les jours, mais celle du serpent tombe d'un seul coup. On dit qu'il mue.

Les serpenteaux grandissent mais leur peau externe, en revanche, reste la même. Ils changent donc de peau environ six fois par an pour en avoir une à leur taille. La croissance des serpents plus âgés est beaucoup plus lente, mais ceux-ci doivent aussi muer plusieurs fois par an car leur peau s'use.

La peau morte doit se détacher de la nouvelle avant de tomber. Une substance laiteuse, appelée lymphe, s'accumule entre les deux peaux et les séparent. Elle recouvre même les yeux du serpent et l'empêche de bien voir. Au bout de quelques jours, le serpent frotte sa tête contre des aspérités naturelles et la pellicule superficielle de peau se déchire.

La peau morte est transparente mais on y distingue les contours des écailles et les plis de peau qui les reliaient. La nouvelle peau brille, ses couleurs et ses motifs sont plus beaux qu'ils ne le seront jamais.

Un serpent-jarretière en période de mue.

Page ci-contre:

Un serpent du lait sur le point de muer. Remarquez qu'il a le regard brouillé.

14

Dépourvus de membres

Réfléchissez un instant aux parties de notre corps qui nous servent à marcher, courir ou nager. On peut difficilement s'imaginer se mouvoir sans bras ni jambes, n'est-ce pas? Le serpent pourtant n'en a pas. Comment fait-il donc pour se déplacer avec tant d'aisance et de grâce?

Le serpent possède une colonne vertébrale qui part du bas de la tête et s'étire jusqu'au bout de la queue. Elle se compose de petits os reliés entre eux qui peuvent se déplacer latéralement et de haut en bas, ce qui permet à l'animal d'onduler son corps.

Mais ces os ne serviraient à rien au serpent si des muscles n'y étaient pas fixés. Le serpent contracte et relâche ses muscles. Ceux-ci à leur tour poussent et tirent les os. Et le serpent avance. Pour s'aider dans ses reptations, le serpent s'accroche avec ses écailles ventrales à des branchettes, à de l'écorce d'arbre ou à un rocher. De cette façon, il ne glisse pas en arrière et a une bonne prise.

Page ci-contre:
Prêt à frapper.
(Crotale des prairies)

Des mouvements de circonstance

Le serpent se déplace de différentes façons. Il fait onduler son corps qui forme alors un S. C'est ainsi que la plupart des serpents se meuvent dans l'eau et sur le sol.

Le serpent peut aussi avancer par glissement latéral. Le corps forme des boucles que le serpent projette sur le côté, au-dessus du sol, là où ses écailles ventrales n'accrochent pas. C'est en terrain sableux que le serpent se sert de ce mode de locomotion car les écailles n'ont pas de quoi s'agripper.

La reptation « en accordéon » est employée par le serpent pour grimper aux arbres ou pour se faufiler dans des passages étroits. Il replie la première moitié de son corps en boucles serrées et s'agrippe avec ses écailles antérieures. Puis, il ramène la partie inférieure de son corps en d'autres boucles et prend appui avec ses écailles postérieures. Puis il recommence à zéro et ainsi de suite.

Un serpent du lait.

Un serpent peut aussi avancer par déplacement rectiligne, c'est-à-dire que le corps entier se meut en ligne droite vers l'avant. Pour un serpent gros et lourd, ce mode de locomotion est plus facile que celui par « ondulations latérales ». Les muscles soulèvent et poussent vers l'avant une plaque qui s'accroche à l'endroit du sol où elle se pose. Puis les muscles recommencent avec la plaque suivante et ainsi de suite. Le serpent avance ainsi par poussées successives.

La plupart des serpents ont un moyen de locomotion favori, celui par « ondulations latérales » par exemple. Beaucoup, en revanche, se déplacent de plusieurs façons. Un serpent lourd, qui se meut habituellement par reptation rectiligne, optera pour l'ondulation latérale s'il lui faut se dépêcher.

Vous imaginez peut-être que les serpents ne se déplacent avec aisance que sur le sol, mais la plupart d'entre eux savent nager en cas de besoin. Certaines couleuvres d'eau chassent même dans les eaux peu profondes des lacs et des rivières et traversent à la nage de vastes étendues d'eau.

Une couleuvre d'eau passe beaucoup de temps dans les lacs et les mares en quête de nourriture, mais elle ne dort que sur un terrain sec.

Grâce à ses détecteurs de chaleur, la vipère et d'autres serpents peuvent chasser dans la plus profonde obscurité.

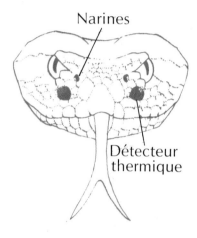

Narines

Détecteur thermique

Les organes des sens

Le serpent possède des yeux et des oreilles différents des nôtres. Sa vue est pauvre et son sens de la distance nul. Ses oreilles n'ont pas de tympan et ne captent donc pas les sons. Un serpent ne réagit pas aux notes de la flûte du charmeur de serpent mais à ses mouvements.

Les yeux du serpent peuvent toutefois déceler un mouvement imperceptible et des oreilles internes perçoivent les vibrations que le sol transmet.

Le serpent a par contre des organes sensoriels qui se rapprochent des nôtres. Bien que sa peau soit écailleuse, toutes les parties de son corps sont sensibles. En outre, beaucoup de serpents qui se nourrissent d'animaux à sang chaud possèdent deux fossettes sur la tête. Celles-ci jouent le rôle de détecteur thermique, c'est-à-dire qu'elles lui permettent de détecter la présence d'un corps plus chaud ou plus froid que la température ambiante. C'est comme cela que le serpent peut localiser une proie.

Déplacement par ondulations latérales.

Une langue spéciale

Même si le serpent compte sur son toucher et les vibrations du sol pour savoir ce qui se passe autour de lui, c'est toutefois sa langue qui le renseigne encore le plus. Longue et fourchue à l'extrémité, ce n'est pas un organe tactile mais un organe qui sent les odeurs. Mais comment?

Si vous observez un serpent, vous remarquerez que sa langue jaillit et rentre continuellement. Elle recueille des particules odorantes dans l'air et sur le sol. Lorsque le serpent rétracte sa langue dans la cavité buccale, il en place les deux extrémités fourchues dans deux petites cavités situées dans le palais. Ces deux cavités envoient un message au cerveau de l'animal pour l'informer de l'odeur qu'il a sentie avec sa langue.

Serpent-jarretière.

Des chasseurs habiles

Tous les serpents sont carnivores mais tous n'attrapent pas leur proie de la même façon. Certains les saisissent avec leurs dents avant de la manger vivante. D'autres sont constricteurs: ils s'enroulent autour de leur proie et l'étouffent. D'autres encore tuent leur proie en lui injectant du venin avec les crochets à venin, longs conduits creux. La glande à venin est située au fond de la bouche du serpent.

Après avoir attrapé sa proie, le serpent l'avale entière. Il ne peut rien faire d'autre: il n'a ni incisives ni molaires. Ses dents aiguës et recourbées en arrière servent uniquement à saisir une proie.

Selon sa taille, le serpent se nourrit d'insectes, de grenouilles, de souris, de rats, d'autres serpents, de plus gros animaux ou des restes qu'un autre animal a laissés derrière lui. Souvent, le serpent avale des proies beaucoup plus grandes que sa gueule.

Lorsqu'un serpent ouvre les mâchoires, les crochets à venin se redressent. Quand il les referme, ils prennent une position horizontale et rentrent dans leur gaine.

Gaine

Crochet à venin

Ce crotale des prairies a élu domicile dans un nid de pie.

Un vrai glouton

Pourriez-vous avaler une pomme entière? Bien sûr que non. Alors, comment un serpent s'y prend-il pour avaler une proie plus grosse que sa tête? Les os de ses mâchoires peuvent se désarticuler de son crâne et l'une de l'autre de sorte à s'écarter considérablement. Les os de la mâchoire inférieure peuvent même se séparer au milieu. Le serpent a alors une bouche énorme et sans os qui gênent.

Mais même avec une bouche pareille, la déglutition est lente. Peu à peu, les mâchoires du serpent se ressèrent autour de la proie. Puis, sa gorge se contracte et pousse celle-ci dans l'estomac. Bientôt, on ne voit plus qu'un renflement qui se déplace lentement le long du corps du serpent.

Quand un serpent a fait un bon repas, la digestion peut durer des jours et même des semaines. Pendant ce laps de temps, il ne se nourrit plus.

Comme son nom l'indique, le serpent coureur peut se déplacer avec une rapidité foudroyante quand il le faut.

Moyens de défense

Les serpents ont beaucoup d'ennemis dans la nature: oiseaux et animaux carnivores, quelques reptiles et même d'autres serpents.

Certains serpents ont des couleurs et des dessins qui les aident à échapper à leurs ennemis. Ainsi, on distingue difficilement une couleuvre verte dans l'herbe ou les frondaisons, ou un serpent à livrée noire et marron dans les cailloux et le sable. Parmi les serpents qui arborent des couleurs vives, beaucoup sont venimeux, ce qui fait penser que cette tenue voyante signale à leurs ennemis qu'il sont dangereux.

Quand un serpent pressent un danger, il cherche d'abord à fuir. S'il ne le peut, il essaie de se protéger.

Une couleuvre à collier.

30

Tactiques de défense

Certains serpents essaient de mettre leurs ennemis en fuite en les effrayant. Il sifflent, font vibrer les sonnettes de leur queue ou se gonflent pour paraître plus gros et plus dangereux. D'autres sécrètent une substance à l'odeur et au goût exécrables lorsqu'on les attrape. D'autres encore se couchent sur le côté et font le mort.

Peu de serpents attaquent d'emblée. La plupart ne frappent que s'ils se trouvent dans l'impossibilité de fuir ou de mettre en fuite un ennemi.

Un serpent à sonnette porte un certain nombre de segments cornés sur la queue. Lorsque le serpent agite celle-ci, ils émettent un bruit semblable à un crissement d'ailes d'insectes. (Crotale diamantin de l'Ouest)

33

Trop chaud? Trop froid?

Certains animaux ont le sang chaud: la température de leur corps reste pratiquement constante, qu'il fasse chaud ou froid.

Les serpents sont des animaux à sang froid: la température de leur corps varie en fonction de celle du milieu ambiant. S'il fait froid, la température du serpent baisse, et inversement. Mais les serpents ne se sentent bien que quand il fait bon. C'est alors qu'ils sont vifs et actifs.

Les serpents doivent donc changer d'emplacement pour maintenir leur corps à la bonne température. Ils se réchauffent au soleil là où le vent ne souffle pas. Ils trouvent la fraîcheur en s'installant à l'ombre, au bord de l'eau ou sous terre.

On ne rencontre pas de grands serpents dans les climats très froids car ils auraient du mal à se réchauffer. Mais ceux qui vivent dans des régions relativement froides sont souvent bruns ou noirs. Ces couleurs sombres permettent à leur peau d'absorber plus vite la chaleur du soleil.

Page ci-contre:

Comme la plupart des serpents, le serpent de ville aime se prélasser au soleil.

Au verso:

Pour impressionner un adversaire, la couleuvre à nez plat déploie son cou comme un cobra, ouvre la gueule et siffle. Mais d'après ce que l'on sait, elle ne mord jamais.

Loin des rigueurs de l'hiver

Comment les serpents qui vivent dans des régions froides font-il pour survivre en hiver? À mesure que les journées raccourcissent et que la température baisse, ils se déplacent de plus en plus lentement et font preuve de moins de vivacité.

Un serpent établit son repaire dans l'anfractuosité d'un rocher, sous un tronc d'arbre ou dans le terrier d'un autre animal.

Là, le serpent tombe en léthargie pour toute la durée de l'hiver. Les battements de son cœur sont plus lents et ses mouvements respiratoires moins fréquents. Comme il reste immobile, il lui faut très peu d'énergie et il n'a plus besoin de manger jusqu'au printemps. Le serpent hiberne.

Certains serpents hibernent seuls, mais il arrive que si le trou ou le terrier est suffisamment vaste, plusieurs serpents s'y réfugient. Des serpents de différentes espèces, parfois ennemies, peuvent ainsi passer l'hiver côte à côte.

Page ci-contre:

Enchevêtrement de serpents à sonnette.

La saison des amours

Au printemps, quand la température se radoucit et que les jours allongent, les serpents émergent de leur sommeil et sortent de leur repaire.

Le mâle trouve la femelle en suivant l'odeur qu'elle laisse derrière elle. Les serpents s'accouplent souvent avec plusieurs partenaires.

Parfois, deux mâles feignent de se battre pour savoir lequel des deux aura les faveurs d'une femelle. Ils redressent la tête, enchevêtrent leurs corps et essaient de se déséquilibrer. Mais ils ne sifflent ni ne mordent. Finalement, le plus faible laisse le champ libre à l'autre.

Le serpent-roi est vraiment le roi des serpents. Il attaque même les serpents à sonnette dont il ne craint pas le venin.

À l'an neuf des serpenteaux tout neufs

Les serpenteaux commencent leur vie de différentes manières. Chez certaines espèces, la mère cherche d'abord un endroit sûr et chaud pour y pondre ses œufs—un tronc pourri, un terrier ou des feuilles mortes. L'importance de la ponte varie suivant les serpents: certains pondent sept œufs tandis que d'autres dépassent la cinquantaine.

Les œufs sont blancs mais ils ne sont pas fragiles comme les œufs de poule. Leur surface ressemble un peu à celle d'une balle de ping-pong mais en plus mou. Dans sa coquille, le serpenteau se nourrit du vitellus (jaune). Au moment de l'éclosion, il perce la coquille avec une dent spéciale, pointue, qui tombe peu après.

Éclosion d'une couleuvre à nez plat.

D'autres serpenteaux se développent dans un œuf qui reste dans le corps de la mère jusqu'à l'éclosion. Ils se nourrissent aussi de vitellus. La coquille de l'œuf étant très fine, elle se déchire au moment où les œufs sont expulsés du corps de la mère.

Chez certaines espèces, la femelle donne naissance à des serpenteaux tout vivants. Ils incubent dans un sac transparent dans le corps de la mère. À la naissance, les serpenteaux en sortent immédiatement.

Un petit serpent du lait oriental.

Des débuts difficiles

Les serpenteaux courent de nombreux dangers: les mères abandonnent leurs petits dès la naissance. Chez certaines espèces, elles ne s'occupent même pas des œufs. Beaucoup d'œufs et de serpenteaux sont dévorés par des prédateurs, mais un bon nombre parviennent à survivre.

Les serpenteaux sont identiques à leurs parents, sauf qu'ils sont plus petits. Les premières années, ils grandissent rapidement. Dans les régions où il ne fait jamais froid, leur croissance se poursuit toute l'année. Les serpents qui hibernent ne se développent pas pendant leur léthargie, mais ils se rattrapent au retour du beau temps. En fait, les serpents continuent de se développer toute leur vie. Mais lorsqu'ils vieillissent, leur croissance ralentit tant qu'elle en devient imperceptible.

Les naturalistes ne savent pas combien d'années vivent les serpents à l'état sauvage. Ils en ont observé en revanche en captivité et ont pu ainsi déduire que les gros serpents vivent souvent plus de vingt ans et que les petits atteignent entre dix et quinze ans.

GLOSSAIRE

Accoupler(s') S'unir pour avoir des petits.

Constricteur Serpent qui tue ses proies en les étouffant.

Crochet à venin Dent longue et creuse par laquelle passe le venin de certains serpents.

Détecteur thermique Organe qui est sensible à la température.

Diurne Qui se montre le jour.

Écailles Petites plaques fines et dures qui constituent la peau du serpent.

Hiberner Dormir pendant tout l'hiver d'un sommeil profond.

Léthargie État qui se caractérise par un long sommeil et pendant lequel les fonctions du corps ralentissent (battements du cœur, mouvement respiratoire…).

Musc Substance à l'odeur très forte que sécrètent certains animaux.

Proie Animal que d'autres animaux chassent pour s'en nourrir.

Repaire Logis du serpent.

Saison des amours Époque de l'année où les animaux s'accouplent pour avoir des petits.

Serpenteau Petit du serpent.

Venin Poison que sécrètent certains serpents.

INDEX

Couverture: Brian Milne (First Light Associated Photographers)
Crédit des photographies: Norman Lightfoot (Eco-Art Productions), pages 4, 11,
20, 37, 41; Bill Ivy, 7, 8, 12, 15, 19, 24, 31, 34, 45; Tom W. Hall (Miller Services),
16, 28; Robert C. Simpson (Valan Photos), 23, 42; Dennis Schmidt (Valan Photos),
27; E. Degginger (Miller Services), 32; Gerhard Kahrmann (Valan Photos), 38.